ひとりだち
2021年改訂版

JN063214

はじめに

- 学校を卒業したら、会社などで はたらきたいと
  思っている人。

- 支援をうけながら、一人暮らしなどをしたいと
  思っている人。

- 自分の これからの生活を 自分で考えたいと
  思っている人。

こんなことを考えている人たちのために、
この本を つくりました。

人はだれでも 毎日 たくさんのことを 選んで、
決めて 暮らしています。
でも、なんでも 自分一人で 決めなくてもいいのです。

わからないことや わかりにくいことは
よく知っている人に 相談をしたり
説明をしてもらいましょう。
そして、自分らしい暮らしを 選んで
決めていきましょう。

困ったときには、一人だけで悩んだり しなくてもいいのです。
だれかに 相談しましょう。
そのためには、なんでも相談できる人、
「助けて！」「手伝って！」といえる人を 見つけましょう。

この本を読んで、これからも 自分らしく 楽しく
暮らせるように なってください。

一般社団法人 全国手をつなぐ育成会連合会
理事長　久保　厚子

もくじ

はじめに …… 2

第1章 自立

自立って なんだろう？ …… 8
支えてくれる人を たくさん見つけよう …… 10
自分で決めるために いろいろな経験を しよう …… 12
コラム 困ったときは 相談支援に …… 14

第2章 政治

みんなのことは みんなで決める …… 16
話しあいは どうやってするの？ …… 18
誰に投票するか 決めるには？ …… 20
政治と 私たちの生活 …… 22
どうして 税金を払うの？ …… 24
コラム 投票は どうやってする？ …… 26

第3章 生活

どんな生活を したい？ …… 30
どんなところに 住む？ …… 32
生活するために 必要な家事って？ …… 34
どんな服を 着る？ …… 36
規則正しい生活で 健康に …… 38
街は 自分一人の ものじゃない …… 40
コラム 災害に 備える …… 42

第4章 お金

生活や楽しみのためには お金が必要 …… 44
お金を うまく使うには …… 46
口座で お金を管理 …… 48
自分のお金は 自分で守る …… 50
お金の使い方は 自分で決める …… 52
障害基礎年金と 生活保護 …… 54
コラム 「成年後見制度」って なに？ …… 56

第5章 健康

健康は 人生を楽しむために大切 …… 58
楽しい食事は 元気のもと …… 60
お酒やたばこは 20歳から …… 62
健康診断を 受けよう …… 64
若いときから気をつけたい 肥満・虫歯 …… 66
もし具合が悪くなったら 病院に行こう …… 68
コラム 保険に入ると どうなる？ …… 70

第6章 仕事

どうして働くの？ なんのために働くの？ …… 72
いろいろな 働き方 …… 74
働くために 受けられる支援 …… 76
職場の人間関係も 大切に …… 78
休みの日は 楽しく過ごそう …… 80
ハラスメントって どんなこと？ …… 82
コラム 障害者就労のかたちは さまざま …… 84

第7章 人間関係

自分は とても大切な人間 …… 86
お互いに 認めあおう …… 88
コミュニケーションを 楽しもう …… 90
いじめ・虐待には「やめて」と言おう …… 92
「好き」の気持ちを 伝えるときに …… 94
家族になる ということ …… 96
コラム 結婚すると 姓が変わるのは どうして？ …… 98

第8章 トラブル

スマホは上手に使えば とても便利 …… 100
スマホを使うときに 気をつけること …… 102
自分の情報は きちんと守る …… 104
カードローンやキャッシングは 借金 …… 106
犯罪に 巻き込まれたら …… 108
コラム 困ったときは ともかく相談 …… 110

この本を 読む みなさんへ

この本は、これから一人暮らしや グループホームなどでの生活を
はじめようとする人のために 書かれています。
自分の力で 暮らすためには、生活や仕事のことなど
世の中のしくみを 知っておくことが大切です。

この本には さまざまなことが わかりやすく書かれています。
いろいろなことを知っていると、
何かを自分で決める時にも 役に立ちます。
そのために、まずは この本を 読んでみてください。
自分が読みたいところから 読んでも いいです。

この本に書かれていることは、
ぜんぶ 自分一人で やらなくても 大丈夫です。
困ったこと、わからないことは、
周りの人が 手伝ってくれます。
この本を読んで「もっと くわしく 知りたい」と思ったら、
ぜひ 周りの人に聞いたり、自分で 調べたり してみてください。

※この本に出てくる法律や制度、それに関係することなどは、
　2021年3月時点のものです。

第1章

自立

「大人になったら 自立しなさい」
こう 言われたことがある人も いるでしょう。
では、「自立」って 何でしょうか？
なんでも 一人で できること？
自分で お金を かせぐこと？
なんだか 難しそうですね。
でも、本当の「自立」（ひとりだち）は
なんでも 一人ですることでは ありません。
「自立」とは どういうことか、
考えてみましょう。

自立って
なんだろう?

ポイント

- あなたの人生は あなたのもの
- どんな生き方をしたいかは 自分で決める
- 努力が必要なことも、失敗することも ある

▼ **自立**と聞いて どんなことが思い浮かびますか？
親元から離れて 一人暮らしをする、
働いて 自分のお金で 生活をする……。
家族などに頼らず 自分の力で生きていくことは
「自立している」と 見えるかもしれません。
しかし、それだけでしょうか。

▼ あなたの人生は あなたのものです。
どんな生き方を したいのかは
自分で 決めることができるし、自分で 決めるべきです。
どんな仕事をするのか、どこに住むのか、
誰と結婚するのか、どんな趣味を持つのか……。

▼ でも、好きなことが
すべて 自由にできるわけでは ありません。
何をするにも お金は かかります。
そのため、仕事をしたり、障害年金を もらったりして
お金を得ることが 必要です。
また、たとえば 好きな人が できても、
相手が あなたのことを 好きかどうかは わかりません。
車を運転したいと思っても、免許がなければ できません。

▼ 努力をしなければ できないことは たくさんあります。
努力をしても 手に入らないものも あります。
うまくいっても、失敗しても、
すべて引き受けて 生きていくこと。
それが「自立」です。

支えてくれる人を たくさん見つけよう

ポイント

- 自立とは 自分一人で なんでもできることではない
- 自分ができないことは できる人に 助けてもらう
- 支えてくれる人を どんどん見つけよう

▼ うまくいっても いかなくても、
自分の責任で生きていく「自立」。
なかなか 難しそうですね。
しかし、そんなに怖がることは ありません。
世の中のことを なんでも知っている人、
どんなことでも 自分一人で できる人など、
どこにも いないのですから。

▼ 自分では できなくても、
それができる人を 知っていれば いいのです。
必要なときに その人に 助けてもらうことが
できれば いいのです。
ある人には できなくても、
別の人なら できるということは たくさんあります。

▼ 自分を支えてくれる人は たくさんいると 安心です。
もし、助けてくれる人が 一人しかいないと、
「頼りすぎて 嫌われたら どうしよう」と 遠慮して
必要なことも 頼めなくなったりします。
それでは 自立から どんどん遠ざかっていきそうです。

▼ たとえば、生活のことは 相談支援専門員や
福祉事務所のケースワーカーなどが
相談にのってくれます。
病気になれば 医者や看護師が 診てくれます。
仕事も、一緒に働く人たちが 協力しあいます。
支えてくれる人や 協力しあえる人を 見つけることも
自立のためには 大切です。

自分で決めるために いろいろな経験を しよう

ポイント

- 「自己決定」は、自分のことを 自分で決めるという意味
- 自己決定には、知ること、経験することが 大切
- 自分一人で 決めず、手伝ってもらっても いい

▼ **自己決定**という言葉を 聞いたことはありますか？
「自分のことを 自分で決める」という意味です。
自己決定のためには、
いろいろなことを知り、経験してみることが大切です。
私たちは 何かを決めるとき、
いままで成功したり 失敗したりした経験や、
人から聞いた情報などを 思い出して 考えています。

▼ たとえば、回転寿司で イワシを選んだとします。
前に その店で食べたイワシが おいしかったことや、
テレビで「今の季節は イワシが おいしい」と いっていたのを
思い出したのかもしれません。
本当は 中トロが食べたかったけど、
イワシのほうが 安いとか、健康によさそうだとか、

いろいろと考えて、イワシを選んだのかもしれません。

▼ 食べものだけでなく、仕事、住む場所、結婚、選挙など、
私たちは 人生の中で たくさんのことを 決めていきます。
そのすべてを 自分で決めていくためには、
いろいろなことを知り、経験することが大切です。

▼ 健康、ニュース、スポーツなど、なんでもいいのです。
身の回りのことに 興味をもってみましょう。
そして、いろいろなことに チャレンジしてみましょう。
もし わからないことがあったり、迷ったりしたら
周りの人に 相談してみましょう。

困ったときは 相談支援に

▼ 家族と 暮らしているときは
困ったことが あっても
家族が 助けてくれます。
でも、家族と離れて
生活するようになったら
どうすれば いいのでしょうか？

▼ 心配は いりません。
障害のある人の さまざまな
相談にのってくれる、
相談支援専門員が います。
相談支援専門員は、
障害のある人の話を聞いて、
どうすればいいか 一緒に
考えてくれる人です。

▼ 一人暮らしをしたいけど
どうしたらいいか
わからないときなども、
アドバイスをしてくれます。
そして、アパートを借りることや、
ヘルパーをお願いすることなどを
手伝ってくれたり します。

▼ 障害がある人なら 誰でも
相談支援専門員に 相談できます。
ヘルパーや 通所など 福祉サービスを
使っていなくても 相談できます。
障害がある人の場合、
相談するのに お金はかかりません。
相談支援専門員の事務所が
どこにあるかは
住んでいる市や町の
役所などで 教えてくれます。

▼ 相談支援専門員は、
みなさんの したいことや
考えていることを 無視して
勝手に 決めたりは しません。
生活で困っていることや
やってみたいこと、将来の夢など
なんでも 相談してみてください。

第2章

政治

みなさんの 町には、
たくさんの人たちが 暮らしています。
みんなが 一緒に生きていくためには、
法律やルールが 必要です。
集めた税金を どう使うかも
決めなければなりません。
たくさんの人に関係することを
話しあって決めるのが 政治です。

みんなのことは みんなで決める

ポイント

- みんなで話しあって 決めるのがルール
- そのルールを 民主主義という
- 一番多くの人が賛成したことに決めるのが多数決

▼ 自分のことを自分で決めるのは、とても大切です。
でも、みんなの暮らす町や国のことは
どうやって 決めたらいいのでしょうか。
町や国のことを 誰か一人が決めてしまったら、
不公平ですよね。
だから、私たちは
「みんなのことは、みんなで話しあって 決める」
というルールを 守っています。
このルールのことを、**民主主義**と いいます。

▼ みんなで決めることは たくさんあります。
「公園を作ってほしい」「バスの本数を増やしてほしい」
「福祉サービスを利用しやすくしてほしい」など、
みんな それぞれ 意見を持っています。

でも、全部やるには お金も時間も ありません。
反対する人も いるかもしれません。
だから、みんなで 話しあいます。
そして、多くの人が やりたいと思うことを やります。
これを多数決といいます。

▼ 多数決だと、数が少ない人たちの意見は
無視されてしまいそうですね。
たとえば、障害のある人は 人数が少ないので、
多数決だと なかなか 意見を 聞いてもらえません。
だから、人数が少ない人たちの意見も 大切にして、
話しあうことになっています。

話しあいは どうやってするの?

ポイント

- 私たちの代わりに話しあう人を 議員という
- 議員たちが話しあいをする場所を 議会という
- 議員は 選挙で選ぶ

▼ 「みんなのことは、みんなで話しあって決める」と
説明しました。
でも、たとえば 町に住む人が 全員で話しあうのは
とても大変ですよね。
だから、私たちは 私たちの代わりに話しあう人を決めます。
そして、その人たちが 話しあいをします。
私たちを代表して 話しあう人を **議員**といいます。
議員たちが 話しあいをする場所を **議会**といいます。

▼ 議員は **選挙**という方法で 選びます。
選挙は、「議員になりたい」と言った人たちの中から、
議員になってほしい人を みなさんが選ぶことです。
選ぶときは 名前を書いたり、丸をつけたりします。
このことを **投票**といいます。

投票は、決められた日に 行います。

投票には、18歳以上の日本国民が 参加します。

▼ 議員たちが 話しあいをする議会は、
市町村や都道府県、国ごとに あります。
たとえば国会では、次のような ことを 話しあいます。

- **法律など**

→私たちが 守らなければいけない ルールのこと。

- **条約など**

→外国との約束のこと。

- **予算など**

→集めた税金などを どう使うか。

誰に投票するか決めるには?

ポイント

- 選挙では自分がよいと思った人に投票する
- 選挙に出る人のチラシや説明を参考に
- 政党で選ぶのも 一つの方法

▼ 選挙のとき、議員になってほしい人を
どうやって選んだらいいのか、難しいですよね。
議員は、私たちの意見を聞いて
議会で 話しあいをするのが 仕事です。
だから、なるべく 自分と近い意見を 持っている人を
選挙で 選ぶように しましょう。

▼ 選挙に出ている人が どんな意見をもっているか、
どうやったら わかるのでしょうか？
その人が話していることを聞いたり、
チラシやポスター、ホームページを読んだりすると、
だいたい わかります。
選挙に出る人たちが 自分の意見を説明する番組も
テレビ（NHK）で 放送されます。

▼ でも、その話や 文章が 難しいときも あります。
そのときは、家族や支援者に 聞いてみましょう。
選挙に出る人のなかには、
知的障害のある人にもわかりやすい チラシをつくったり、
施設などに 自分の意見を説明しにくる人も います。

▼ 議員たちは 仲間で集まって、
政党という グループをつくることもあります。
一つの政党に集まった議員は、
だいたい 同じような意見を 持っています。
だから、自分と近い意見の政党を調べて、
その政党の人に 投票するのも 一つの方法です。

政治と私たちの生活

ポイント

- 政治は 私たちの生活に 大きく関係している
- みんなのための政治になるよう 投票に行こう
- 議員が 選挙のときの約束を 守っているかチェック

▼ 議会では、みんなが守る決まりや
税金の使い方などを 話しあいます。
法律や税金の使い方などを 決めて
みんなが安心して 生活できるようにすることを
政治といいます。

▼ 政治は、私たちの生活に とても関係があります。
たとえば、障害のある人が
どんな福祉サービスを使えるようにするか、
どのくらい使えるようにするか 決めるのは 政治です。
物を買うときに払う消費税を 何パーセントにするかや、
高齢者や 障害のある人の年金を いくらにするかなどを
決めるのも 政治です。

議員が 議会で 話しあいます

▼ いま、日本では 選挙で投票に行く人が 減っています。
だいたい、半分くらいの人が 投票に行きません。
選挙のときに投票に行かないと、
たくさんの人たちの意見とは
ちがった政治が 行われてしまうかもしれません。
そして、私たちのことが 大切にされない社会に
なってしまうかもしれません。

▼ また、選挙が終わった後も、選ばれた議員などが
選挙のときに言っていたことを 守っているか、
おかしいことを していないか、チェックします。
議員や政党などが きちんと仕事を しているかは、
ニュースなどを見ると、わかります。

どうして税金を払うの?

ポイント

- 税金は 私たち一人ひとりが払う
- 国や都道府県、市町村が 税金を集める
- 税金は 私たちみんなのために 使われる

▼ 街の中に 必要なものを作ったり、
私たちの生活を支えたりするためには、お金が必要です。
そのお金は、私たち全員で 払っています。
そのお金を **税金**といいます。

▼ 私たちは、さまざまな税金を払っています。
たとえば、給料をもらうときには、**所得税**を払います。
物を買うときには、**消費税**を払います。
そのほか、お酒やたばこ、自動車などを買うときも
消費税とは別に、税金を払います。

▼ 私たちが払った税金は、
国や都道府県、市町村に 集められます。
そして、道路や堤防、ダムなどを作ったり、

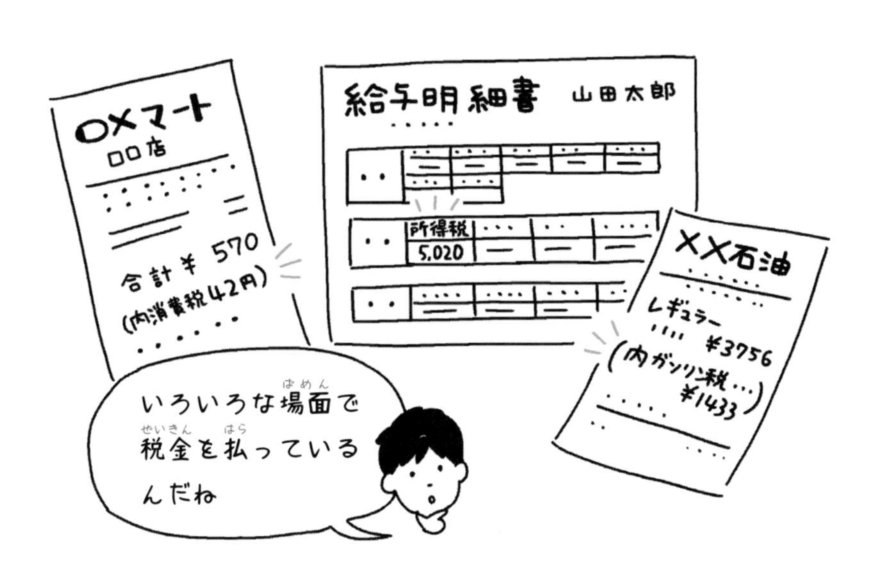

役所や学校、消防署、警察署などを 建てたりします。
役所で働く人や 学校の先生、消防士、警察官、
議員、市長や知事、大臣などの給料も
税金から払われます。
病院での治療代や年金にも 税金が使われています。

▼ 税金は みんなのために 使われます。
この税金を、誰かがずるをして 自分のために使ったり、
ある人だけ得するように 使ったりしたら、
不公平ですよね。
だから、税金をどのように使っているか、
国や都道府県、市町村は 説明することになっています。

コラム

投票は どうやってする?

▼ 18歳になったら、
選挙で投票できます。
ここでは、投票の仕方を
説明します。

❶ 投票所に 行く

▼ 投票日の 何日か前に、
「投票所入場券」が
郵便で 届きます。
周りの人は「選挙のはがき」と
呼んでいるかも しれません。
封筒で届く地域もありますし、
はがきで届く地域もあります。

▼ 投票所入場券には、
投票所の場所や
投票できる時間などが
書いてあります。
投票日になったら、
投票所入場券を持って
投票所に 行きます。

▼ 投票所では まず、
受付の人に
投票所入場券を渡します。
受付の人から
あなたの誕生日を
聞かれることもあります。

❷ 誰に投票するか 書く

▼ 受付が 終わったら、
案内された場所で
投票用紙を 受けとります。
そのあと、
投票用紙を書くために
「記載台」に行きます。

▼ 記載台には、
えんぴつが 置いてあります。
前には
候補者や政党の名前が
書かれた紙が
はってあります。

自分が投票したい人や政党を
選んで、その名前を
投票用紙に書きます。
ひらがなやカタカナで 書いても
大丈夫です。

❸ 投票箱に 入れる

▼ 投票用紙に 名前を書いたら、
投票用紙を 半分に折って
投票箱に 入れます。
投票は これで終わりです。

コラム

文字(もじ)が書(か)けなくても 大丈夫(だいじょうぶ)

▼ 文字(もじ)が書(か)けなくても
投票(とうひょう)は できます。
係(かかり)の人(ひと)が あなたの代(か)わりに
投票用紙(とうひょうようし)に
書(か)いてくれるのです。
これを「代理投票(だいりとうひょう)」と
いいます。
代理投票(だいりとうひょう)を 希望(きぼう)するときは、
「代理投票(だいりとうひょう)したい」と
係(かかり)の人(ひと)に 伝(つた)えます。
自分(じぶん)が投票(とうひょう)したい人(ひと)の
名前(なまえ)を 指(ゆび)でさしたり、
名前(なまえ)を書(か)いた紙(かみ)を 見(み)せます。

「期日前投票(きじつまえとうひょう)」も できる

▼ 投票日(とうひょうび)は ほとんど日曜日(にちようび)ですが、
日曜日(にちようび)に 仕事(しごと)をする人(ひと)や、
投票日(とうひょうび)に 用事(ようじ)がある人(ひと)も います。
そのような人(ひと)たちは、
投票日(とうひょうび)の前(まえ)に 投票(とうひょう)ができます。
これを「期日前投票(きじつまえとうひょう)」と
いいます。
期日前投票(きじつまえとうひょう)が
いつからできるかや
どこで投票(とうひょう)するかは、
「投票所入場券(とうひょうじょにゅうじょうけん)」に
書(か)いてあります。
投票(とうひょう)のしかたは、
ふつうの投票(とうひょう)と同(おな)じです。

第3章

生活

誰と どんなところに 住んで
どんな生活をするか。
暮らし方は 人それぞれです。
どんな暮らし方が あるのか、
ちょっと 見てみましょう。
また、ふだんの生活の中で
自分や ほかの人のために
気をつけることも 紹介します。

どんな生活をしたい?

ポイント

- 誰と どこで 暮らすかは 人によって違う
- どのように生活するかを 自分で選ぶ権利がある
- これから どんな生活がしたいか、考えてみよう

▼ あなたは今、
誰と一緒に 暮らしていますか?
誰と一緒に 暮らすかは、
人によって いろいろです。
家族と一緒に 暮らしている人や、
一人で 暮らしている人もいます。
あるいは、仲間と一緒に 暮らしている人、
好きな人と結婚して
一緒に 暮らしている人もいます。

▼ あなたは今、
どんなところに 住んでいますか?
住むところにも いろいろ あります。
アパートやマンションの部屋を

どんな生活をしたいか
考えてみよう

借りている人も います。
一軒家を 借りている人も います。
家族や自分が買った家に 住んでいる人もいます。
ほかにも、グループホームや入所施設など、
いろいろな場所があります。

▼ あなたは、**誰と暮らして、どこに住み、**
どのように生活するのかを 選ぶことができます。
将来、誰と どんな生活がしたいですか？
そして、自分がしたい生活を実現するために
どんなことを すればいいか
支援者などと一緒に 考えてみましょう。

どんなところに住む?

✔ ポイント

- どこに住むかによって、支援の受け方などは変わる
- それぞれの特徴が よいか悪いかは 人によって違う
- 自分がしたい暮らし方に 合ったところを 考えよう

▼ **一人暮らし**では、

アパートやマンションの部屋を 借りたりして、
一人で 生活します。
料理、洗濯、そうじ、かたづけなども 自分でやります。
電気、ガス、水道の料金などは 自分のお金で 払います。
支援者に頼むと 生活の一部を手伝ってくれます。
大変なことも多いですが、自由なことも多いです。

▼ **グループホーム**では、

何人かの仲間と一緒に 生活します。
支援者もいます。
ただし、洗濯や掃除など、自分でできることは
なるべく 自分でやります。
グループホームには

リビングのように みんなで過ごせる部屋と、
一人で過ごせる 別々の部屋があります。
どんな部屋が どこに いくつあるかなどは
グループホームによって 違います。
食事は、支援者が作ってくれるところもありますし、
自分たちで献立を決めて、協力して作るところもあります。
そのほか、困ったことや大変なことは
支援者が 手伝ってくれます。

▼ **入所施設**では、
たくさんの仲間と一緒に 生活をします。
支援者が いつもいて
いろいろなことを手伝ってくれるので 安心です。
ただし、食事のメニューや お風呂の時間、
寝る時間などが
決まっている施設が多いです。

生活するために必要な家事って？

ポイント

- 生活には 料理や洗濯、そうじなどの家事が必要
- 家事をやりやすくする工夫も大切
- 誰かと一緒に暮らすなら、家事は分担する

▼ あなたは ふだん
料理や洗濯、そうじなどの**家事**をしていますか？
生活していくためには、家事をすることが必要です。
どんな家事があるのか、考えてみましょう。

● **買い物**

料理するのに必要な材料や、
洗剤、ティッシュなど 生活に必要な物を
スーパーなどに 買いに行きます。

● **料理**

自分が食べたいものを つくります。
栄養のバランスには 気をつけましょう。
食べ終わったら、食器を洗います。

● 洗濯

毎日する人もいれば、

少し たまってから する人もいます。

● 布団干し

ときどき干さないと、

くさくなったり、虫がついたりします。

● そうじ

部屋や トイレ、お風呂などの そうじをします。

「1週間のうち、○曜日と○曜日には

ここを そうじする」などと 決めている人もいます。

▼ 誰かと一緒に暮らすなら、家事は **分担**します。

難しいことは 支援者に 手伝ってもらえます。

どんな服を着る?

- どんな服を着るかは あなたの自由
- 決まりがあるときは 守ろう
- 周りの人が いやな気持ちにならないように

▼ あなたは ファッションに興味がありますか？
ファッションに詳しくなくても、
自分のお気に入りの服などは あると思います。
どんな服を着るかは、あなたの自由です。
ただし、次のことには 気をつけましょう。

● 決まりがあるときは 守る

▼ たとえば 会社によっては 着る服に 決まりが あります。
ほかの会社の人と会うことが 多い仕事なら、
スーツを着るように いわれるかもしれません。
アクセサリーを たくさん付けたり、
派手な 化粧をしたりするのも
仕事では おかしいと 思われることがあります。

● 服は きれいにする

▼ 汚い服を着ていると、
周りの人は いやな気持ちになります。
シャツや下着など着たものは ちゃんと **洗濯**しましょう。
スーツやコートなど、洗濯機では 洗えない服もあります。
洗濯機で 洗えないものは、
クリーニング店に 持っていきましょう。

● 身だしなみも きちんとしよう

▼ どんなに おしゃれな服を着ていても、
髪に 寝ぐせが付いていたり、
鼻毛が 出ていたりしたら、だらしなく 見えます。
服以外の**身だしなみ**にも 気をつけましょう。

規則正しい生活で健康に

ポイント

- 規則正しい生活は 健康にとって大事
- 規則正しくないと 体調が悪くなることも
- 朝すっきり起きて、夜ぐっすり眠れるようにしよう

▼ あなたは、いつも何時に 寝て、
何時に 起きますか？
起きる時間や 寝る時間が ばらばらだと
体調が悪くなったり、
やる気が出なくなったりすることが あります。

▼ もちろん、仕事の関係などで
日によって 起きる時間が違うことは あるでしょう。
ただ、休みの日だからといって
ふだんより 何時間も 遅く寝たり
昼になっても ずっと寝ていたりするのは、
健康的ではありません。

▼ 1日の 始まりと終わりは
体にとって 大事です。
朝 起きたら カーテンを開けて
日光を浴びると、気分がよくなります。
また、朝ごはんを食べると
頭が よく働くようになります。

▼ 夜 寝る前に たくさん食べたり、
お酒やコーヒーを 飲んだりすると、
よく眠れなくなってしまいます。
ぐっすり眠れるように
気をつけましょう。

街は 自分一人の ものじゃない

✔ ポイント

- 地域にも それぞれ ルールがある
- ルールとして決まっていなくても、お互いが 気持ちよく暮らせるように
- 町内会の行事や活動などで 地域の人と仲よくなることも

▼ 家族と一緒に 暮らしていたり、
グループホームで暮らしていたら、
家事を分担するなどの ルールがあると思います。
同じように、
家の外、自分が住んでいる地域や街にも
それぞれ ルールがあります。

▼ 地域の中には、あなただけでなく、
いろいろな人たちが 暮らしています。
地域で暮らすには、**地域のルール**を守って、
地域の人たちと 協力することが 必要です。

▼ たとえば、ごみを出すのは
決められた日、決められた時間にしましょう。

そうしないと、ごみが回収(かいしゅう)されずに
においが出(で)たり、カラスに荒(あ)らされたりして
街(まち)が汚(きたな)くなります。

▼ ルールとして 決(き)まっていなくても、
近所(きんじょ)の人(ひと)の迷惑(めいわく)になることは やめましょう。
たとえば、夜中(よなか)に大(おお)きな音(おと)を出(だ)すのは
トラブルの原因(げんいん)になります。
反対(はんたい)に、自分(じぶん)が迷惑(めいわく)なことをされたら、
管理人(かんりにん)などに 相談(そうだん)しましょう。

▼ **町内会(ちょうないかい)**の活動(かつどう)に協力(きょうりょく)したり、行事(ぎょうじ)に参加(さんか)したりすると、
地域(ちいき)の人(ひと)と仲(なか)よくなる きっかけにもなります。
地域(ちいき)に知(し)りあいが たくさんいると
何(なに)かあったときに 相談(そうだん)しやすくなります。

災害に 備える

▼ 日本は 災害の多い国です。
大きな地震や 火山の噴火、
風や 大雨、大雪などの災害が
たくさん おきています。
どこで 暮らしていても、
災害に 備えなければいけません。

▼ たとえば、川の近くや
まわりより低い場所では、
大雨の時に 洪水などの水害が
おきやすくなります。
山の斜面や がけに近い場所は、
土砂崩れなどに 注意が必要です。

▼ 大きな地震の後には、
火事が おきたりします。
津波が来ることも あります。
原子力発電所や 大きな工場などが
事故を おこすことも あります。

▼ まずは、住んでいる地域や
家のまわりで
どんな災害が おきそうか、
確認しておきましょう。
役所などで配っている
ハザードマップには、
水害や土砂崩れ、津波などに
特に注意が必要な場所が
書かれています。

▼ また、まわりの家などが
火事になったら
どうやって逃げればよいか
考えてみましょう。

▼ 大きな災害の時には
避難所に 避難します。
障害のある人などのための
福祉避難所も あります。
避難所がどこにあるのか、
調べておくことも大切です。

第4章

お金

お金をためて

好きなものを買うのは

楽しみの 一つですね。

働いて 給料をもらったり

障害年金をもらったりすれば、

たくさんのお金を

自分で 管理することになります。

自分のお金を ちゃんと管理するには

どんなことに 気をつければいいでしょうか。

お金の使い方を 考えてみましょう。

生活や楽しみのためには お金が必要

ポイント

- 家計簿などを使って お金を管理しよう
- お金は、物を買うとき以外にも必要
- 少しずつ 貯金もしよう

▼ お金がなくなると、生活に困ってしまいます。
お金が足りなくならないようにしましょう。
そのためには、自分がもらっているお金が いくらなのか、
使っているお金が いくらなのか、知っておくことが大切です。
もらったお金や 使ったお金を **家計簿**にメモしておくと
わかりやすいです。

▼ お金が必要なのは、生活のためだけではありません。
電車やバスで出かけたりするときや、
旅行やコンサートなど
自分の楽しみのためにも お金は必要です。
自分の**好きな物**などを買うことや
趣味などに お金を使うことは、
楽しく生活するためには 大切です。

▼ 自分がほしい物が
持っているお金では買えないくらい 高いこともあります。
無理して買うと、
生活するお金が なくなってしまいます。
また、急に お金が必要になることも あります。
たとえば、病気になったときは、
病院に行ったり 薬をもらったりするのに
お金がかかります。

▼ 自分がほしいものを 買うためや、
急に お金が必要になったときのために、
貯金をしておくと 安心です。

お金を
うまく使うには

ポイント

- 生活のことを考えながら、お金を使おう
- ほしくないものは すすめられても 断っていい
- カードや スマホで払うのは便利だけど、使いすぎに注意

▼ お金があると、「あれがほしい」「これを買いたい」という楽しみが増えますね。
これから どのくらいのお金が 必要かを考えて、
計画的に お金を使うようにしましょう。
そうしないと お金が 足りなくなるかもしれません。

▼ 店に行くと、商品をすすめられることもあります。
ほしくないものは、断っても いいのです。
はっきり 断りにくいときは、
「考えておきます」などと 言ってみましょう。

▼ 買い物をするとき、現金のほかに
電車やバスで使う **ＩＣカード**や **スマートフォン（スマホ）**で
お金を払える店も あります。

ほしくないときは 断っても大丈夫

▼ **クレジットカード**を持っている人も います。

クレジットカードで 払ったぶんは、
月に１回、まとめて 自分の銀行口座から
自動的に お金が 支払われます。
支払いを何回かに分けることも できますが、
分けるためには お金（手数料） が かかります。

▼ クレジットカードや ＩＣカード、
スマートフォンでの支払いは 便利です。
しかし、その場で お金を 出さないので、
お金を使っている感じが しなくて、
つい 使いすぎてしまうことも 多くなります。
どんな払い方でも、
使いすぎには 注意しましょう。

口座で お金を管理

ポイント

- 銀行などで 自分の口座をつくろう
- 給料や年金、生活保護などは、口座に振り込まれる
- 自分の銀行などの口座を きちんとチェックしよう

▼ 銀行などで 自分の**通帳**と**キャッシュカード**を作ってもらうことを、「口座を作る」といいます。
口座があると **銀行の窓口**や**ＡＴＭ**などでお金を預けたり、引き出したりできます。
ほかの人や会社の口座に振り込む（お金を送る） ことも できます。

● もらうお金

▼ 会社などに就職したり、アルバイトをしたりすると、**給料**がもらえます。
通所施設で作業をして、**工賃**をもらう人もいます。
そのほかに、**障害年金**や**生活保護**を もらったり、家族からお金を もらっている人もいると思います。

▼ 給料や年金などは、ほとんどの場合、
銀行などの口座に振り込まれます。
１カ月に１回は 銀行の窓口やＡＴＭで記帳して、
いくら振り込まれたか 確認しましょう。
工賃や お祝いなど 現金でもらったお金も
自分の口座に 預けておくと 安心です。

● 出ていくお金

▼ 生活に必要なお金は 自分の口座から 引き出します。
いつお金を引き出すか、いくら引き出すかなど
自分で決めるのが難しい場合は
家族や 支援者に 相談しましょう。
家賃や、電気、ガス、水道、携帯電話など 毎月払うものは、
口座から 自動で払われるようにすることも できます。

普通預金

年月日	記号	お引き出し金額	お預入れ金額	残高
21--3--12	繰越			404,046
21--3--12	現金	30,000	カード	374,046
21--3--15	振込	6,558	JDDI リョウ	367,488
21--3--25	振込	給与	185,836	553,324
21--4--1	現金	35,000	カード	518,324
21--4--10	振替	4,286	電気	514,038
21--4--11	振込	75,000		439,038
21--4--11	振替	220	振込手数料	438,818

自分のお金は自分で守る

ポイント

- 通帳やキャッシュカードは、大切にしよう
- 暗証番号は ほかの人に知られないように
- 「口座に 振り込んで」という 詐欺に注意

▼ 口座を作るときには、**暗証番号**を決めます。
暗証番号は、自分の口座から お金を引き出すときや
振り込みをするときに 使う、
自分だけの秘密の番号です。
暗証番号は 数字を ４つ組み合わせて つくります。
自分の誕生日など、
ほかの人にわかってしまう番号では つくれません。

▼ また、ほかの人に 通帳や印鑑（はんこ）、
銀行などのキャッシュカードを 貸したり、
暗証番号を教えたりしては いけません。
通帳と はんこ、
キャッシュカードと 暗証番号が あれば、
ほかの人でも お金を引き出せてしまうからです。

▼ 知らない人から「口座に お金を振り込んで」などと
電話がかかってきたりしたら、注意してください。
役所や警察、銀行などのふりをして、
お金を だましとろうと しているのかもしれません。

▼ ほかにも、「事故を起こした」
「会社のお金を使ってしまった」などと
家族や友だちのふりをして、
お金を だましとろうとする人も います。
これらは **詐欺**です。
お金を 振り込んではいけません。
よく わからないとき、あやしいと思ったときは
すぐに 家族や支援者などに 相談してください。

お金の使い方は自分で決める

✓ ポイント

- 自分のお金を ほかの人が使うのは おかしい
- ときには ほかの人のために お金を使うことも
- お金の使い方を決めるのは 自分自身

▼ 自分のお金は、自分で管理して、自分が使うものです。
ほかの人が勝手に使うのは、おかしいことです。
もし、自分のお金が 誰かに勝手に使われていたら、
支援者などに 相談しましょう。

▼ また、お金を盗まれないようにすることも 大切です。
財布やカードは大事にしてください。
銀行の通帳やキャッシュカードを なくしたときは、
すぐに銀行に 連絡しましょう。
クレジットカードを なくしたときは、
すぐにクレジットカードの会社に 連絡しましょう。

▼ 自分が ほかの人のために
お金を使うことも あります。

協力 するかどうかは 自分で決めます

たとえば、結婚式などでは ご祝儀という
お祝いのお金を 渡します。
お葬式では お香典というお金を 渡します。
家族ができれば、結婚相手や 子どものために
お金を使うことも あります。

▼ 募金に協力したり、
後輩などに ご飯を ごちそうしたりする人も います。
これらは 自分の気持ちで することです。
「募金に協力しない人は 悪い」とか
「先輩なら ごちそうするのが 当たり前」
ということでは ありません。
誰のために お金を使う場合も、
それを決めるのは 自分自身です。

障害基礎年金と生活保護

ポイント

- お金がないときに 支えてくれる制度がある
- 「障害基礎年金」が もらえる場合もある
- 生活できそうにないときは「生活保護」を 考えよう

▼ 生活のために お金が足りるかどうか
心配な人も多いと思います。
お金が 十分になくても 暮らしていけるよう、
次のような制度が あります。

● 障害基礎年金

▼ 知的障害のある人は、20歳になると
障害基礎年金を もらえる場合が あります。
障害基礎年金を もらうには、申し込みが 必要です。
申し込むときには、家族が 申請書を書いたり、
医者に 書類を書いてもらったりします。

▼ 障害基礎年金には **1級**と**2級**があります。
1級は 障害が重い人、2級は それより障害が 軽い人です。

もらえるお金は 1級が 月に8万円くらい
2級が 月に6万5000円くらいです。

▼ 障害基礎年金は、障害が軽いなどの理由で
もらえないことが あります。
結果に 納得できない場合は、
もう一度 審査してほしいと 言うことができます。

● 生活保護

▼ 働けなくて お金を稼げない人や、
家族のお金を合わせても 生活が難しい人は
生活保護を 受けることができます。
市町村の福祉事務所などで 相談できます。

「成年後見制度」って なに?

▼ 成年後見制度は、
いろいろな手続きや お金の管理を
手伝ってもらったり、
代わりにしてもらったりする
制度です。
認知症になった人や
重い知的障害のある人が
使うことが 多いです。

▼ たとえば、
○書類に書かれていることが
　わからなくて 手続きできない
○お金が 管理できない
○自分にとって なにが得か、
　なにが損か わからない
というような人の代わりに、
後見人という人が
いろいろなことを 決めたり、
手続きしたりします。
手伝いや 代わりに決めることが
少ない人の場合には、
保佐人や 補助人という人が
つくこともあります。

▼ 成年後見制度は 本人や家族などが
必要だと思ったときに 使います。
ほとんどの場合、
家族が 手続きをして
使いはじめることになります。
家族がいない人などは、市町村長が
手続きをすることもあります。

▼ 後見人などは、自分では選べません。
家庭裁判所が 選びます。
自分の家族や 親戚がなる場合や、
弁護士や司法書士、社会福祉士が
なる場合が 多いです。

▼ 後見人などには、お礼のお金を
払うことになっています。
いくら払うかは、
家庭裁判所が 決めます。
また、成年後見制度は
一度 使いはじめると
途中で やめることができません。

第5章

健康

楽しく暮らすためには、

体や心の健康が 大切です。

もちろん、どんなに 気をつけても

病気になることは あります。

それでも、健康に気をつけることは

気分よく 生活することに つながります。

「もっと 気をつければ よかった」と

後悔しないように、

健康な暮らしについて 考えてみましょう。

健康は人生を楽しむために大切

ポイント

- 楽しく生きていくために 健康は大切
- 健康のためには、栄養のある食事や運動などが必要
- 健康の大切さは、健康なときには 気づきにくい

▼ **健康**は 生きていくために 大切なことです。
なるべく 病気にならないように
気をつけて 生活できれば いいですね。

▼ 「いまが楽しければ、何をやってもいい」と思っていると、
健康ではなくなってしまうことが あります。
たとえば、
「食べたいものだけ 食べる」
「夜ふかしをする」
これらのことは、そのときは 楽しいかもしれません。
でも、そのような生活を 続けていると、
そのうち 体調が悪くなることがあります。
病気にはならなくても、
なんとなく 気分が悪くなったりもします。

▼ 健康のためには、

次のようなことが大切だと いわれています。

- 栄養のある食べ物を バランスよく食べる
- よく 寝る
- 軽い運動を する
- ストレスを ためない

このほか、**健康診断**を きちんと受けることや、

体調がおかしいと感じたら **病院**に行くことも 大切です。

▼ 自分が健康なときには、

健康の大切さに なかなか気づきません。

でも 病気になると、「やっぱり 健康がいい」と思います。

「もっと 気をつければ よかった」と 後悔しないように、

ふだんから 健康に 気をつけましょう。

楽しい食事は 元気のもと

✔ ポイント

- ごはんは 一日3回 しっかり食べよう
- ダイエットのために ごはんを食べないのは 間違い
- 外食や おそうざいを買うときも 栄養に気をつけて

▼ 朝ごはん、昼ごはん、夕ごはんを しっかり食べていますか ?
おいしいものを 食べることは、楽しみの一つです。
栄養のことを知って、どんなものを食べるかを 決めると、
体にも いいのです。
朝ごはんを食べないという人も いるかもしれません。
しかし、朝ごはんは
一日を健康に過ごすために 大切です。
朝ごはんは その日に必要なエネルギーに なるからです。

▼ ダイエットのために ごはんを食べないのは
体に よくありません。
やせたいときは **運動**をするほうが よいです。
反対に、食べすぎも 体によくありません。

▼ 料理をするのが 好きだという人も いるでしょう。
自分で 料理をつくって 食べるのは 楽しいですね。
一方で、自分で 料理をしない人もいます。
スーパーやコンビニでは、
おそうざいや 弁当を 売っています。
そのまま すぐに食べられるので 便利です。
おそうざいや 弁当を買うときも、
肉や魚、野菜の**バランス**を考えて選ぶと、体にも よいです。

▼ 仕事仲間や友達と 外食することも、気分転換になります。
外食するときにも、栄養を考えて、
肉や魚、野菜をバランスよく
食べるようにすると よいでしょう。

お酒やたばこは20歳から

ポイント

- お酒の飲みすぎや たばこは 体に悪い
- お酒を 無理に 飲ませては いけない
- たばこを吸うときは 場所や周りの人のことを 考える

▼ 大人の人の中には、
お酒や たばこを 楽しんでいる人が います。
お酒を飲むことも たばこを吸うことも、
どちらも 20歳から できるようになります。
ただし、お酒も たばこも 体には よくありません。

▼ お酒を 飲むと 気分がよくなります。
しかし、飲みすぎると 気分が悪くなったり、
自分が何をしているか わからなくなる場合も あります。
また、毎日 飲みつづけると、
お酒がやめられなくなる 危険もあります。
一方で、お酒が 飲めない人もいます。
飲めない人に お酒を 無理に 飲ませては いけません。
命に かかわることもあります。

▼ たばこも やめるのが難しいものです。
たばこを吸っている人は、
たばこが吸えないと イライラしてしまうので、
なかなか やめることができなくなります。
しかし、たばこは 脳や心臓、肺などの病気や
がんなどの 原因になります。

▼ また、たばこの煙を 周りにいる人が吸い込むと
その人も 病気になるかもしれません。
禁煙の場所で たばこを吸っては いけません。
妊娠している人や 子どもの近くでも
たばこを吸っては いけません。

健康診断を受けよう

ポイント

- 健康かどうか調べるのが 健康診断
- 健康診断は 必ず受けよう
- わからないことは 支援者に聞こう

▼ 自分が健康かどうかを 確かめるため、
毎年、病院などで **健康診断**を受けましょう。
通っている施設などで
健康診断が 受けられることもあります。

▼ 健康診断では、身長や体重、血圧を はかったり、
目や耳の検査をしたり、尿検査や 血液検査をしたりします。
どうやって検査するかは、健康診断のときに
医者や看護師が 教えてくれます。
また、自分の体について 気になっていることがあれば、
健康診断のときに 医者に 相談することができます。

▼ 健康診断の結果は、1週間くらいで出ます。
結果を書いた紙が もらえることがありますが、

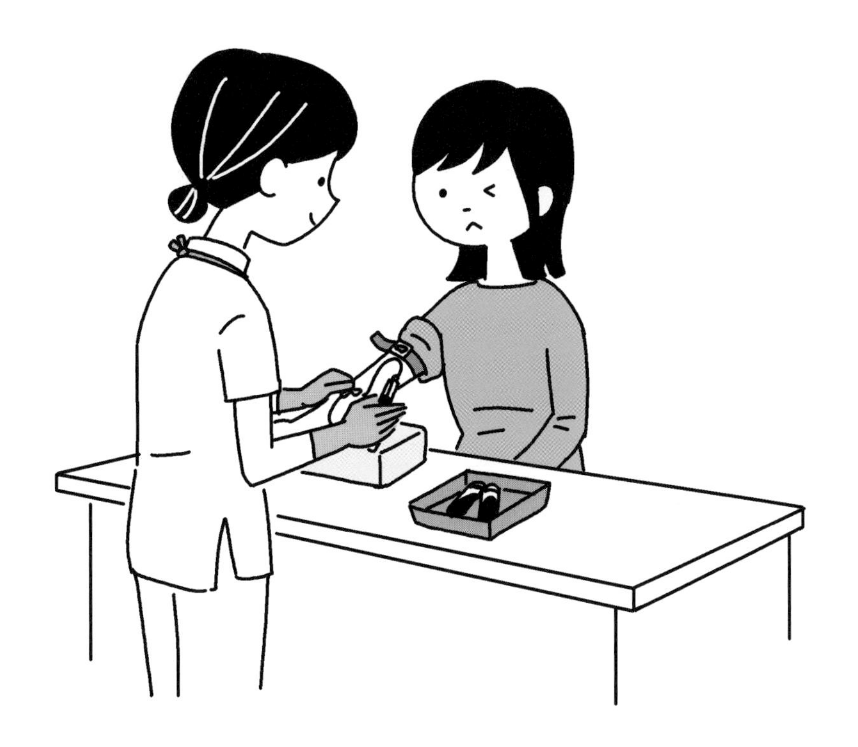

小さい文字で 難しい言葉が 書いてあるかもしれません。
わからないことは 支援者に聞いてみましょう。
また、どこか悪いところがあった場合は、
もう一度 病院に行って くわしい検査を受けるように
いわれることがあります。

▼ 「自分は健康だ」と思っていても、もしかしたら
体のどこかが 悪くなっているかもしれません。
病気を早く見つけられるように、
健康診断は 必ず受けましょう。
健康診断を受けて、自分は健康だとわかれば、
安心できますね。

若いときから気をつけたい 肥満・虫歯

- 肥満になると ほかの病気になりやすくなる
- 口の中で悪い細菌が増えると 虫歯や歯周病になる
- 若くても、肥満や虫歯・歯周病になる

肥満

▼ **メタボ**という言葉を 聞いたことがあると思います。
メタボは、太っていて（**肥満**）、
血圧が高かったりすることです。
肥満になったり、血圧が高くなったりすると、
いろいろな病気に なりやすくなります。

▼ メタボは、若い人は ならないと思うかもしれません。
しかし、ふだん あまり運動しなかったり、
油っぽいものや 甘いものを 食べすぎたりすると、
若い人でも 肥満になることがあります。
肥満にならないようにするためには、
栄養を考えて 食事をし、ときどき運動することが大切です。

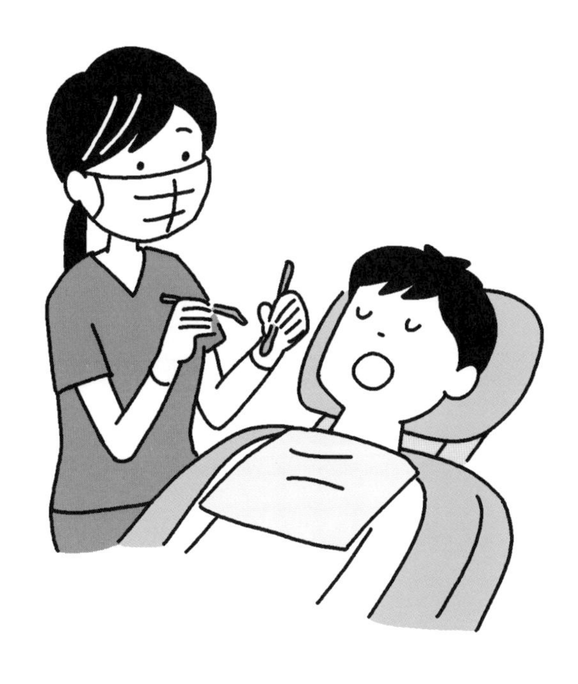

● 虫歯・歯周病

▼ 口の中に悪い細菌が増え、

歯を溶かすのが **虫歯**、

歯ぐきを 傷つけるのが **歯周病**です。

歯をみがかないと、虫歯や歯周病になるかもしれません。

朝や寝る前、食事をしたあとには、

歯を みがくようにしましょう。

歯をしっかりみがいても、虫歯になることがあります。

歯が痛くなったら、早めに 歯医者に行きましょう。

▼ 6カ月に1回くらい、歯医者に行って、

虫歯がないかどうか チェックしてもらうのも いいでしょう。

歯みがきだけでは取れない汚れも 取ってくれます。

もし具合が悪くなったら病院に行こう

ポイント

- 体調が悪いと思ったら 病院に行こう
- 病院には いろいろな種類がある
- 緊急のときは 救急車を呼ぶ

▼ 「体の調子が 変だな」と感じたら、
がまんしないで **病院**に行きましょう。
がまんすると、どんどん悪くなって、
治りにくくなるかもしれません。
1人で行くのが大変なときは、
家族や支援者に 一緒に行ってもらいましょう。

▼ 病院といっても、いろいろな種類が あります。
また、病院の中でも**科**によって
治すことができる病気やけがが 違います。
どんなときに どの病院（どの科） に 行けばいいかを
右の表に まとめています。

▼ がまんできないほど 痛い、けがが ひどいなど
命に かかわりそうなときは、**救急車**を 呼んでください。

病院・科	たとえば こんなときに
内科	かぜを ひいた 熱がある 頭や おなかが 痛い 何となく 体調が悪い
眼科	目が痛い 目が見えづらくなった
皮膚科	肌が痛い、かゆい、荒れている やけどをした とげが刺さった できものが できた
耳鼻科・耳鼻咽喉科	のどや耳、鼻、舌が痛い めまいがする 耳の中で 音が鳴っている感じがする
外科	けがを した
整形外科	首や肩、背中、ひざが痛い 肩が はずれた 骨が 折れた 足を くじいた
産科・婦人科 （おもに女性が 行きます）	生理が おかしい 避妊の必要がある 妊娠した、妊娠のことを 相談したい 胸に しこりがある
精神科・心療内科	心が 落ち着かない 眠れない、寝すぎてしまう

保険に入ると どうなる？

健康保険

▼ 病院に行くときには
「保険証」を 持っていきますね。
保険証は、健康保険に入っている
ことを証明するものです。
健康保険に入ると、
病気やけがをしたときに
病院で払う お金が安くなります。
代わりに、毎月 保険料を 払います。

▼ 健康保険には
ほとんど全員が 入っています。
赤ちゃんも 生まれたら すぐ
親が 手続きをして
健康保険に 入ります。
この場合の保険料は
親などが払います。

▼ 社会人になって
自分が稼いだ お金で
生活するようになったら、
自分で 健康保険に入ります。
会社で働く人は、会社が手続きを
してくれる場合も あります。
保険料は 自分の給料から
払うことになります。

任意保険
（入るかどうか自分で選ぶ保険）

▼ テレビの CM で
「医療保険」や「がん保険」
と言っているのを
聞いたことが あると思います。
これは、自分で選んで入る保険です。

▼ 重い病気にかかったり、
入院したりすると、
たくさんのお金が かかります。
そんなときのために、
健康保険とは別に、
自分で選んだ保険に入る人もいます。
そうすると、
治療や入院にかかる お金の一部を
保険会社から もらえます。

▼ 任意保険には
いろいろな種類が あります。
保険の種類によって
どんな病気のときに
お金がもらえるかなどが 違います。
保険を選ぶときは、
家族や支援者に
相談してみてください。

第6章

仕事

働いていると、

大変なことも ありますが

「楽しい」「やって よかった」と

思えることも あります。

そして、そう思える仕事が できると

とても 幸せですね。

働くには どうすればいいか、

どんな働き方が あるのか、

見てみましょう。

また、仕事で つらいことが あったら

どうすればいいかについても 紹介します。

どうして働くの？ なんのために働くの？

ポイント

- 仕事をすると 給料や工賃をもらえる
- 「やりがい」も 働くための大切な理由
- 給料をもらう以外の仕事も いろいろある

▼ 障害のある人も ない人も、
たくさんの人が働いています。
でも、私たちはどうして 働くのでしょうか？
「お金を稼がないと 自分や家族が 生活できないから」
「職場の仲間が 好きだから」
「仕事が とても楽しいから」
どれも、働くための大切な理由です。

▼ 働くと、**給料**や**工賃**をもらえます。
そのお金で 生活したり、
自分が好きなものを 買ったりできます。
自分が思うように 生きていくために
働いて お金を稼ぐのは 大事なことです。

▼ しかし、お金だけが 働く理由ではありません。
自分が得意なことや やりたいことをして
周りから ほめられれば、うれしくなります。
ほかの人たちと協力して 一生懸命に 仕事をすると
やりがいを 感じられます。
そのために働く人も たくさんいます。

▼ 働く場所も さまざまです。
会社で仕事をするほかにも、
通所施設で作業をしたり、
自宅で何かに取り組んだりするのも
働くことの一つです。

いろいろな働き方

ポイント

- 働き方には いろいろな種類がある
- 会社では給料、通所施設などでは工賃をもらえる
- ボランティアとして 活動する人もいる

会社に入る

▼ 会社などに入って仕事をして、
会社などから給料をもらう人を **会社員**といいます。
会社員として働く人は たくさんいます。
役所や学校などで働いている人は **公務員**、
福祉施設などで働いている人は **職員**と呼ばれます。
公務員や職員も 仕事をして給料をもらいます。

▼ 会社などで働く人の中には、
その会社で ずっと働く人（**正社員**）と、
決められた期間や 短い時間で
働く人（**契約社員**や**アルバイト**、**パート**など）がいます。

● **福祉施設で作業する**

▼ 通所施設や作業所で、何かをつくったり、

作業をしたりする人もいます。

難しい作業などがあっても、支援者が手伝ってくれます。

工賃というお金をもらえますが、

会社員の給料よりは 少ないことが ほとんどです。

● **ボランティアをする**

▼ 困っている人のために 役立つ仕事を、

お金をもらわずにするのが ボランティアです。

たとえば、町中を そうじしたり、

子どもたちを見守ったり、といった仕事です。

お金はもらえませんが、

たくさんの人から「ありがとう」と感謝されます。

働くために 受けられる支援

ポイント

- 障害のある人は 働くための 支援を受けられる
- 支援の種類には、相談に乗ってもらうこと、働く練習をすること、試しに会社などで働いてみることなどがある

▼ 働きたいと思っている 障害のある人は、
次のような支援を 受けることができます。

相談する

▼ まずは、**相談支援専門員**に 相談しましょう。
相談支援専門員は、あなたがどんな生活をしたいか聞いて、
必要な支援を探してくれる人です。
学校に通っている人は、**学校の先生**に相談しましょう。

通う

▼ 次に、仕事の練習をしてみましょう。
施設で 仕事の練習をしながら、
自分がやってみたい仕事や、楽しいと思える仕事を
探すことも できます。

● 試してみる

▼ 施設に通いながら、

実際の会社で 試しに働いてみることも できます。

これを、**実習**といいます。

● 会社を 探す

▼ 支援者と一緒に 自分が働きたい会社を 探します。

会社に入るためには **試験**や**面接**を 受けます。

どうすれば 試験や面接に合格できるか、

支援者が 一緒に 考えてくれます。

● うまくいかなかったら

▼ 入った会社が 自分に合わないと感じたら、

相談支援専門員、学校の先生、就労支援施設の職員、

ジョブコーチなどに 相談しましょう。

職場の人間関係も大切に

ポイント

- 仕事で困ったことがあれば、周りの人に聞く
- 職場では、きちんと あいさつをする
- 職場の人たちと 話をしてみよう

▼ 会社に入ると、新しい仕事を
たくさん 覚えなければ なりません。
一度にすべて覚えるのは 難しいので、
少しずつ 覚えていきましょう。

▼ 仕事を教えてもらうときは 話をよく聞きます。
メモを取っておくと 忘れないので 安心です。
わからないことや 困ったことは、
同じ仕事をしている人（**同僚**）や**上司**、
ジョブコーチや 支援者などに 質問したり、
相談したりしましょう。

▼ 会社では、たくさんの人が 働いています。
どの人も、「みんなと仲よく、気持ちよく働きたい」と

思っているはずです。

だからこそ、きちんと あいさつをしましょう。

仕事が終わって帰るときは、

職場の人たちに「おつかれさまでした」や、

「お先に 失礼します」と言って 帰ります。

▼ 職場の人たちと仲よくすることは、

仕事を長く続けるためにも 大切なことです。

話しかけるには 勇気がいりますが、

休み時間などに

いろいろなことを 話してみましょう。

もしかしたら、自分と趣味の合う人や、

尊敬できる人に 出会えるかもしれません。

休みの日は楽しく過ごそう

ポイント

- ストレスをためないよう、きちんと休もう
- 心が疲れても 自分を責めなくていい
- つらいときは 病院などで 相談することも必要

▼ 仕事で失敗したり、職場の人と意見が合わなかったり、
お客さんに怒られたり…。
仕事をしていると、いやなこともあります。
でも、それは誰でも 経験することです。
いやなことがあると、私たちは**ストレス**を 感じます。

▼ ストレスがたまってくると、病気になることもあります。
自分の中に、ストレスをためないことが 大切です。
仕事が終わったら、ご飯を食べたり、
ゆっくりお風呂に入ったり、
自分が好きなことをしたりして、**気分転換**をしましょう。
もし いやなことがあったら、
家族や友達など 話しやすい人に 話しましょう。

▼ 仕事をしていくためには、
しっかり休むことも 大切です。
休みの日は、なるべく自分の好きなことを しましょう。
給料で、何か好きなものを買ったり、
楽しいことをしたりして、ストレスを吹き飛ばしましょう。

▼ それでも ストレスが消えず、気持ちが重くて
仕事に行きたくなくなることも あります。
眠れなくなったり、
つらくて 泣いてしまうこともあります。
それは、ストレスなどで心が疲れて、
助けを求めているのかもしれません。
そんなときは 病院に行って相談したり、
薬などを使って治療することも 考えましょう。

ハラスメントって どんなこと?

ポイント

- 仕事で 注意されることは ある
- パワハラやセクハラは してはいけないこと
- パワハラやセクハラをされたら 相談する

▼ 会社では、
上司や先輩・後輩たちと一緒に 仕事をします。
上司や先輩は、その仕事場で働く部下や後輩に
どんな仕事をするか 命令したり、
きちんと仕事しているか 見守ったりします。
仕事をまじめに やらなかったり、
間違いや ミスが多かったり、
理由がないのに 遅刻したり、休んだりしたら
上司や先輩などに 注意されることも あります。

▼ 上司や先輩は 立場が強いので
その命令を 部下や後輩は なかなか断れません。
上司や先輩などが 仕事に関係ないことや
できないことを 命令したり、

こんなパワハラやセクハラをされたら
信頼できる人に 相談

大声で怒鳴ったり、無視したり、
暴力をふるったりすることなどを
パワー・ハラスメント（パワハラ）といいます。

▼ 上司や先輩などが、部下や後輩に
エッチなことを言ったり、
体を 触ったり、
無理やり「二人で 会おう」などと 誘ったりすることを
セクシャル・ハラスメント（セクハラ）といいます。

▼ パワハラやセクハラは、
どんな理由があっても してはいけないことです。
もし、パワハラやセクハラをされたら、
家族や支援者、会社で信頼できる人などに 相談しましょう。

障害者就労のかたちは さまざま

▼ 障害のある人が働く 場所は、
大きく分けて4つあります。
「仕事がしたい」と 思ったら、
相談支援専門員や
学校の先生などに
相談してみましょう。

●一般企業（普通の会社）

会社などで
障害のない人と一緒に 働きます。
障害のある人も 働きやすいように、
工夫がされていることも あります。
給料が もらえます。

●特例子会社

障害のある人たちが
たくさん集まって 働く会社です。
障害のある人が やりやすい仕事を
することが 多いです。
給料が もらえます。

●就労継続支援A型

会社で働くことが難しい人が、
支援を受けながら 仕事をする施設です。
仕事の内容も 会社と似ていますが、
働く時間が短いことが多いです。
給料が もらえます。

●就労継続支援B型

仕事をするのが難しい人が
通う施設です。
支援を受けながら、
作業などを行います。
給料は もらえません。
その代わりに 工賃がもらえます。
工賃は 会社などの給料よりも
少ないことが ほとんどです。

▼ このほか 生活介護や
地域生活支援センターといった
施設でも、作業をして
工賃をもらうことが あります。

▼ 仕事の内容は
会社や 施設によって 違います。
実習や 見学をしてから
決めるように しましょう。

第7章

人間関係

ふだんの生活の中で
ほかの人との つながりは
なくてはならないものです。
みんなが お互いに支えあって
生きています。
あなたも 大切な人、
ほかの人も 大切な人です。
人と人との 関係について、
考えてみましょう。

自分は
とても大切な人間

ポイント

- 人は、一人ひとり 違う
- ほかの人と 比べすぎると 人生は楽しめない
- 「自分が好き」「いまの自分で大丈夫」と 考えてみよう

▼ あなたは どんな人ですか？
どんなことが得意で、どんなことが苦手ですか？
いまの自分は 好きですか？　きらいですか？

▼ 人は 一人ひとり 違います。
できること、できないこと、
得意なこと、苦手なこと、
好きなこと、きらいなこと。
どんなことも、人によって 違うのです。
そうした違いを見つけて、
「あの人は 自分より だめだ」とか、
「私は 周りの人より できない」とか、
ほかの人と 比べてしまうこともあるでしょう。

▼ でも、「あの人は 自分より だめだ」と 考えたら、
その人の いいところは 見つけられません。
「私は 周りの人より できない」と 考えたら、
落ち込んでしまい、楽しく すごせなくなります。
自分のほうができるとか できないとか 考えずに、
「できないことがあっても 大丈夫」、
「自分の こんなところが 好き」と 考えるほうが
人生を楽しめると 思いませんか？

▼ ほかの人に 好かれたり、
何かの 役に立ったりすることだけが
大切なのではありません。
自分の いいところも 悪いところも含めて、
自分を 大切にしてください。

お互いに認めあおう

✔ ポイント

- ほかの人も それぞれ違った 意見をもっている
- ほかの人の意見を 聞くことも 大切
- 一人ひとりの違いを 認めあおう

▼ 人は 一人ひとり 違います。
好きなことや したいことが 違います。
考え方や 意見も 違います。
たとえば、自分が 食べたいものを 選ぶときに、
「それは 選んじゃダメ」とか
「そんなものが 好きなの？」
などと言われたら、いやですよね。
ほかの人が 自分とは全然違うものを 選んだり、
自分とは 違った意見を 持っていたとしても、
その人のことを大事にして、**認めあう**ことが 大切です。

▼ 自分のしたいことや 意見は 大切です。
でも、それは ほかの人の話を
聞かなくてもいい ということでは ありません。

ほかの人の意見を 聞いて、

「なるほどな」「いいな」と思ったことがあると、

自分の意見も 少しずつ変わっていきます。

もし、「ほかの人の話は 聞かない」と 決めてしまったら、

自分が変わるチャンスを 逃してしまうかもしれません。

▼ 自分の意見を大切にしながら、ほかの人の話も聞く。

とても 難しそうですね。

もし、意見や考え方を押しつけてくる人がいたら

「本当に正しいのかな？」と、自分でよく考えると よいです。

▼ 「みんな違って、みんないい」という言葉があります。

それぞれが、一人ひとりの違いを認めあって

一緒に楽しく生きていけると いいですね。

コミュニケーションを楽しもう

ポイント

- コミュニケーションの仕方は 人によって違う
- コミュニケーションには たくさんの方法がある
- 自分に合った コミュニケーションで 大丈夫

▼ あなたは 誰かと仲よくなりたいとき、どうしていますか？
仲よくなりたい相手に
自分から どんどん話しかける人も いるでしょう。
反対に、どうしていいか わからなくて
気持ちを うまく伝えられない人も いるでしょう。

▼ 人との付き合い方や **コミュニケーション**の方法は
それぞれです。
おしゃべりが好きな人、話を聞くのが好きな人、
みんなと わいわい盛り上がりたい人、
ひとりで 静かに過ごしたい人など、
いろいろな人が います。
自分に合った方法で コミュニケーションを取って、
楽しい時間を過ごしましょう。

▼ 人と話すのが 苦手な人には、
絵文字や **コミュニケーションカード**なども あります。
スマートフォンを持っている人は、
メールや **LINE** などで 文字やスタンプを うまく使って
気持ちを伝えあうこともできます。

▼「この人と 仲よくなりたい」と思う人がいたら、
自分に合った方法で、仲よくなっていきましょう。
人間関係が広がれば、あなたの人生も
そのぶんだけ おもしろく、豊かになっていくはずです。
ただし、どんなに「仲よくなりたい」と思っても、
自分の気持ちを 押しつけすぎないようにしましょう。
相手の気持ちを確かめながら、
ゆっくりコミュニケーションをとることも 大切です。

いじめ・虐待には「やめて」と言おう

✔ ポイント

- いじめも 虐待も あってはいけない
- いじめや 虐待をされたら、「いやだ」と言っていい
- ひどいことを されたときは 誰かに相談しよう

▼ 学校や 職場などで、
みんなが 一人の人に いやがらせをしたりすることを
いじめといいます。

▼ また、家族や支援者など 障害のある人を守る人が
ひどいことを言ったり、いやなことをしたりすることを
虐待といいます。
虐待には、体を傷つけることや、心を傷つけること、
お金を奪うこと、
困っているときに助けないことなどが あります。

▼ いじめも、虐待も、あってはならないことです。
もし あなたが いやなことを されたときは、
「いやだ」「やめて」と 言っていいのです。

虐待にあったら 相談します

- 直接 言うのが 難しかったり、
怖かったりするときは、信頼できる人に 相談しましょう。
たとえば、学校や職場で いやなことがあったら、
家族や支援者に 相談してみましょう。
また、家族や支援者が ひどいことをしてきたら、
虐待防止センターなどに 相談してください。
あなたの味方になってくれる人は、必ず います。

- 自分が いじめや虐待をしないことも
大切です。
ほかの人が いじめているからといって
自分も いじめたり、
家族だから大丈夫だと思って ひどいことを するのは、
絶対に やめましょう。

「好き」の気持ちを伝えるときに

ポイント

- 誰かを好きになるのは 自然なこと
- お互いに「好き」でないと 付き合えない
- 相手から断られたら 落ち着いて考えよう

▼ 誰かのことが とても気になったことは ありますか？
その人と二人だけで過ごしたい と思ったり、
その人のことを考えると楽しい と思ったりしたら、
それは **「好き」**の気持ちかもしれません。
その人に「好きです」と 伝えてみてもいいでしょう。
「付き合ってください」と 伝えて、
相手が「いいよ」と 言ってくれたら、
二人だけの時間を過ごすための 約束をしましょう。

▼ 「好き」の気持ちは、とても大切で、すばらしいものです。
けれど、あなたが好きでも、
その人が あなたを好きとは限りません。
「好きです」「付き合ってください」と伝えても
断られてしまったら、

そのときは「好き」をあきらめることも 必要です。

▼ その人に「いやです」「付き合えません」と言われても
あきらめずに その人を追いかけてしまったり、
何回も何回も 連絡をしたり、
無理やり その人の体を さわったりしてしまうと、
その人の 迷惑になってしまいます。
「ストーカー」と呼ばれて 警察につかまることもあります。
自分が好きな人を いやな気持ちにさせないように
ときには がまんする必要もあります。
本当に 相手のことが好きなら、
その人のことを 大切にできるはずです。

家族になるということ

✔ ポイント

- 私たちは 誰かと一緒に家族をつくることができる
- 結婚するときは お互いに話しあおう
- セックスをすると 子どもができることがある

▼ あなたは これからの人生を
誰と一緒に 過ごしていきたいですか？
ずっと 今の家族と暮らしていきたい人、
一人暮らしをして 自由に過ごしたい人、
付き合っている人と 一緒に暮らしたい人など、
いろいろな未来があります。
「将来はこうしたい！」という希望があるなら、
チャレンジしてみることも できます。

▼ 彼氏や彼女がいる人は、
その人と**結婚**したいと 思っているかもしれません。
結婚するときは 二人でしっかり話しあって、
将来のことを考え、準備をしましょう。

▼ 結婚したら、**家族**として 暮らしていくことになります。
男性と女性が**セックス**をすると、
子どもができることが あります。
子どもを育てることも 家族の大切な役割です。
子どもを つくるかどうかは
相手と話しあって 決めます。
子どもを つくらないと決めたら、
セックスをするときには かならず**避妊**をします。

▼ 家族には さまざまな かたちがあります。
結婚しない人も、子どもをもたない人も います。
男性同士、女性同士で 一緒に生きていく人も います。
法律では 家族として認められない場合もありますが、
どんなかたちでも、自分たちが家族だと思えば 家族です。

結婚すると 姓が変わるのは どうして?

▼ 結婚すると、夫か 妻のどちらかが
姓（名字）を変えます。
たとえば、 鈴木さんと 山田さんが
結婚したら、夫婦二人とも
鈴木か 山田か
どちらかの姓になります。

▼ 法律では、結婚したときに
夫と妻、どちらの姓を選んでも
いいことになっています。
しかし、姓を変えるのは
ほとんどの場合、女性です。

▼ 姓が変わると、
不便なことがあります。
銀行口座やクレジットカード、
パスポートなどを つくり直したり
しなければいけません。
仕事の関係で 姓が変わるのは困る、
という人もいます。

家族のかたちはそれぞれ違う

▼ 離婚や再婚をしたり、
外国人と結婚したり、
結婚の手続きをしなかったり、
夫婦や 家族のかたちは
さまざまです。

▼ そうしたことから、結婚したら
どちらかが 姓を変えるのではなく、
姓を変えるかどうか、
自分たちで決められるように
してほしいと考える人が
増えています。
姓を変えるかどうか
自分たちで選ぶことを
選択的夫婦別姓 といいます。

▼ 一方で、「同じ 家族なのだから
同じ姓を使うべきだ」、
「父親と母親が 別々の姓だと
子どもが 混乱する」など、
選択的夫婦別姓に
反対する意見もあります。

第8章

トラブル

世の中は どんどん便利になっていきます。
最近では スマートフォンで
いろいろな情報が 見られたり、
いろいろなサービスを 使ったりできます。
ただし、便利だからといって
よく考えないで 使っていると、
トラブルに 巻き込まれることも あります。
どんなことに 気をつければいいか、
トラブルにあったら どうすればいいか、
確認してみましょう。

スマホは上手に使えば とても便利

✔ ポイント

- スマホは 電話やメールのほかにも いろいろできる
- アプリを追加すれば、もっと便利に
- うまく使って、生活の役に立てよう

▼ あなたは **スマートフォン（スマホ）** を
持っていますか？
スマホは携帯電話ですが、電話やメールのほかにも
いろいろなことができて、とても便利ですね。
操作も 簡単にできるものが 多いです。

▼ スマホがあれば、**インターネット**を使って
いろいろなことを 調べられます。
また、地図や 天気予報を見たりも できるので
出かけるときなどに 役に立ちます。

▼ **アプリ**を追加すれば、もっと便利になります。
アプリとは、
テレビゲームでいうソフトのようなものです。

たとえば、動画を見るためのアプリや、
勉強に役立つアプリなど、
ふだんの生活を より楽しく、
より便利にしてくれるものが あります。
スマホに初めから入っているもののほか、
自分で選んで 入れるものも あります。

▼ アプリには 無料で 使えるものも ありますが、
お金が かかるものも あります。
最初は 無料でも、途中から お金が かかったり、
使うために 毎月 決まったお金を
払わなければいけないアプリも あります。
アプリを入れる前に 確認しましょう。

スマホを使うときに気をつけること

✔ ポイント

- あやしいページや あやしいアプリに 注意する
- 被害にあったら、消費生活センターなどに相談する
- あやしいものを ブロックすることもできる

▼ スマホは とても便利なものです。
ただし、気をつけてほしいことがあります。
スマホを使っている人を ねらって、
悪いことをしようとする人が いるのです。

▼ たとえば、エッチな動画を見ていたら
とても高い金額が 画面に出てきたという例があります。
また、恋人がほしい人のための
「出会い系」といわれる ページやアプリでも
とても高い金額を 後から 求められた人が います。

▼ このような被害に あわないために、
あやしいページを見たり、あやしいアプリを入れたり
しないようにしましょう。

こんなメールが来たら
お金は払わずに 相談します

特に、エッチなものや「出会い系」のものには
気をつけましょう。
スマホの種類や 携帯電話会社によっては、
あやしいページやアプリを ブロックするための
機能やサービスも あります。
これらも うまく使いましょう。

▼ もし ページを見たり アプリを使ったりして
後から とても高い金額を 払うように 言われたら、
まずは 無視してください。
言われるままに お金を払っては いけません。
その後に おどすような電話が来たりしたら、
市町村の **消費生活センター**などに 相談してください。
自分だけで 解決しようとするのは 危ないです。

自分の情報は きちんと守る

ポイント

- 個人情報は とても大切
- 気軽に ほかの人に教えたり しないように
- 一人ひとりに決められた「マイナンバー」も 大切にしよう

▼ あなたの 名前や住所、連絡先などは、
あなたの 大切な**個人情報**です。
必要なとき以外には ほかの人に教えないなど、
きちんと 管理しましょう。

▼ インターネットに 文章や写真を のせるときにも、
個人情報は のせないように 気をつけてください。
友達や恋人が ほしいからといって
自分の 電話番号やメールアドレスを
インターネットに のせるのは とても危ないです。

▼ また、ほかの人の個人情報も とても大切です。
いやがっているのに 無理に聞いたり、
勝手に ほかの人に 教えたりしないように しましょう。

個人情報は のせないように！

▼ 大切な個人情報の一つに、

マイナンバーが あります。

マイナンバーとは、

日本に住んでいる人 一人ひとりに 決められた

12けたの番号です。

マイナンバーカードというカードなどに 書かれています。

▼ マイナンバーは、役所の書類に書いたり、

職場に知らせたりすることが あります。

ただし、知らない人には 教えないように

気をつけてください。

カードローンやキャッシングは 借金

✔ ポイント

- カードローンやキャッシングには 注意が必要
- 借金をすれば 利子も支払わなければならない
- カードローンやキャッシングを使うなら、
  先に しっかりと計画を立てる

▼ **借金**は、
人や会社などから お金を借りることです。
最近では、カードを使って
ATM で簡単に 借金ができてしまいます。
カードローンや **キャッシング**と いいます。

▼ 簡単に できても、
カードローンやキャッシングは 借金です。
後で 返さなければなりません。
借金は 時間がたつほど 増えていきます。
この増えたぶんを **利子**といいます。
返すときは 借りたお金以外に、
この利子も 払わなければいけません。

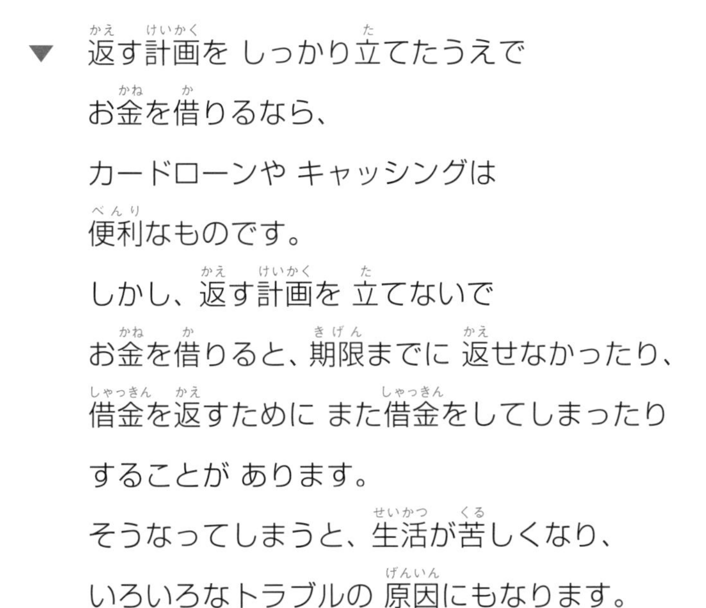

▼ 返す計画を しっかり立てたうえで
お金を借りるなら、
カードローンや キャッシングは
便利なものです。
しかし、返す計画を 立てないで
お金を借りると、期限までに 返せなかったり、
借金を返すために また借金をしてしまったり
することが あります。
そうなってしまうと、生活が苦しくなり、
いろいろなトラブルの 原因にもなります。

▼ もし、カードローンや キャッシングを 使うなら
支援者などにも 相談して、
きちんと返せるのか 考えましょう。

犯罪に巻き込まれたら

ポイント

- 犯罪の被害にあったら、警察に相談する
- 被害にあった人を支援する窓口もある
- やっていないことは「やっていません」と言おう

▼ あなたが 犯罪の被害にあったら、
警察に相談してください。
家族や支援者と一緒に 行ってもいいです。
「自分の不注意だから 仕方ない」などと
あきらめる必要は ありません。

▼ 犯罪が起こると、警察は 犯人を探して **逮捕**します。
その後、**裁判**で その人が本当に犯人かどうか 調べます。
本当に犯人だった場合は、
どのような罰を受けるかが 決まります。

▼ 被害にあった人が 裁判に参加できる
しくみもあります。
また、被害にあった人を支援する窓口もあります。

警察では
本当にあったことを
落ち着いて話します

▼ 反対に、

もし あなたが犯罪をしたと 疑われた場合、

警察で いろいろと 話を聞かれることが あります。

そのときには、本当のことを 話します。

自分一人で説明するのは難しいと思ったら、

弁護士や **福祉の支援者**を 呼んでほしいと 伝えましょう。

▼ もしかしたら、警察の人が あなたを犯人だと

決めつけるかもしれません。

それでも、あなたが やっていないことは

はっきり「やっていません」と 言ってください。

コラム

困ったときは ともかく相談

▼ 困ったことや トラブルの種類によって 通報したり、相談したりする 場所は 違います。

▼ どこに相談したらいいか わからないときは、周りの 信頼できる人に 相談してみましょう。

どんなトラブル？	まず、どうする？
● **犯罪の被害に あったとき** お金や物を盗まれた、誰かに 殴られた、など ● **交通事故に あったとき**	警察に 電話する ▸**警察署　電話【110】**
● **犯罪に近いことで 困っているとき** 知らない人が ついてくる、 あやしい電話が かかってくる、など ● **警察に電話していいか、わからないとき**	警察相談専用電話に 電話する ▸**警察相談専用** **電話【# 9110】**
● **法律のことで 困っているとき** 会社から 給料を もらえない、 借金を 返せない、離婚したい、 仕事をクビになった、 パワハラをされた、など	法テラスに 相談する ▸**法律のトラブル** **電話【0570 - 078374】** ▸**犯罪被害** **電話【0570 - 079714】** ※通話には 電話代が かかります。
● **買い物のトラブルに あったとき** いらない物を 買わされた、 買った物が 届かない、 不良品を交換してもらえない、など	消費生活センターに 電話する ▸**消費者ホットライン** **電話【188】**

どんなトラブル？	まず、どうする？
● 虐待されたとき 家庭や福祉施設、 職場で 虐待を受けたとき	市町村の障害者虐待防止センターに 電話する 命が危ないときは 警察に 電話する ▸**住んでいる市町村ごとに** **障害者虐待防止センターは あります**
● 夫や妻、恋人などから ひどいことをされたとき 殴られた、おどされた、 お金を取られた、など	住んでいる都道府県や市町村の 配偶者暴力相談支援センターに 相談する 命が危ないときは 警察に 相談する ▸**DV 相談ナビ　電話【# 8008】**
● 銀行のキャッシュカードや 通帳を なくしたり、 盗まれたとき	その銀行の窓口に行くか、電話する 盗まれたときは 警察に 相談する
● クレジットカードを なくしたり、盗まれたとき	クレジットカード会社に 電話する 盗まれたときは 警察に 相談する
● 携帯電話を なくしたり、 盗まれたとき	固定電話や ほかの人の携帯電話を借りて 携帯電話会社に 電話する。 盗まれたときは 警察に 相談する ▸**ＮＴＴドコモ 電話【0120-524-360】** ▸**au　電話【0077-7-113】** ▸**SoftBank　電話【0800-919-0113】** ※どれも 電話代はかかりません。いつでもつながります。
● 電車やバスに 忘れ物をしたとき	その電車やバスの会社に 電話するか、 近くの駅で相談する

著者紹介

一般社団法人スローコミュニケーション

知的障害のある人をはじめとする、一般的な活字情報の理解が難しい人に向けた情報提供に取り組む非営利団体（2016年設立）。ウェブサイト上でわかりやすい時事ニュースを配信したり、企業や行政等の発行物をわかりやすくするなどの活動に取り組む。

URL　https://slow-communication.jp/
メール　info@slow-communication.jp
Twitter　@SlowCommu

ひとりだち　2021年改訂版

2021年7月1日　初版第1刷発行
2022年1月31日　第2刷発行

著　者　一般社団法人スローコミュニケーション
発行人　久保厚子
発行所　一般社団法人全国手をつなぐ育成会連合会
〒160-0023
東京都新宿区西新宿7-17-6 第三和幸ビル2F-C
電　話　03-5358-9274
ファクス　03-5358-9275

イラスト　たかはしみどり（表紙・本文）、平井きわ（コラム）
デザイン　DeHAMA（百瀬智恵）
印刷製本　新日本印刷株式会社

Printed in Japan
ISBN 978 - 4 - 909695 - 04 - 8